BANANA DIARY
2022-2023

甘やかし

はじめに

吉本ばなな

2021年になっても、あまり状況は変わりませんでした。
もろもろなことに慣れただけで、むしろとんでもなく悪くなったかもしれません。
地獄の釜のふたが開いちゃったみたいに人の心の奥にあったものが出てきてしまい、それに翻弄されているうちに人間関係がごっそり変わった人もたくさんいるでしょう。
でも生きているのなら、前に進まなくてはなりません。
顔を上げて、人は人です。自分には優しく。

私の天使、桜井由佳さんに今年もコラージュ作品を創っていただくことができ、最高にごきげんです。魔法みたいなこの色彩が、グレーな心の日にもきっとみなさんを守ってくれます。
デザインの天才、中島英樹さん。決して甘くなることはないこの才能に出会えた感謝を今年も噛みしめています。
最初から参加し、縁の下の力持ちとして支えてくださった中島デザインの泉美菜子さんが退職されました。泉さん、大変だったね、ありがとうございました。そして今回から参加された田中幸洋さん、大変だったでしょう！ ありがとうございました。
この人たちにお願いできた喜びがいっそう強い力となって、みなさんに届きますように。
幻冬舎の石原正康さん、壷井円さん、西山治希さん。
粘り強く、美しくこの手帳を作ってくださり、ありがとうございます。
こんな楽しいことはこの世に他にないです。

甘やかすということは、だらしなくなることでも、見てみぬふりをすることでもありません。風通しがよく、見晴らしがよく。
「まあいいか」とか「今日はここまで」と言いながら、たくさん働いて、それ以上に遊んで、おいしく食べて、ぐっすり寝ることです。
みなさんのそれを私の言葉がほんの少しだけでいいから手助けできますように！ 願いを込めて。

12

2021
December

SUN	MON	TUE	WED	THU	FRI	SAT
			1 赤口	2 先勝	3 友引	4 大安
5 赤口	6 先勝	7 友引	8 先負	9 仏滅	10 大安	11 赤口
12 先勝	13 友引	14 先負	15 仏滅	16 大安	17 赤口	18 先勝
19 友引	20 先負	21 仏滅	22 大安	23 赤口	24 先勝	25 友引
26 先負	27 仏滅	28 大安	29 赤口	30 先勝	31 友引	

今年も自分なりにできることをしたような気がする。
あとはそうじでもするか。

1

2022
January

今日からまた、1日1日をだいじに、楽しさ優先で。

SUN	MON	TUE	WED
2 仏滅	3 赤口	4 先勝	5 友引
9 赤口	10 先勝 成人の日	11 友引	12 先負
16 先勝	17 友引	18 先負	19 仏滅
23 友引	24 先負	25 仏滅	26 大安
30 先負	31 仏滅		

THU	FRI	SAT
		1 先負 元日
先負	7 仏滅	8 大安
3 仏滅	14 大安	15 赤口
0 大安	21 赤口	22 先勝
7 赤口	28 先勝	29 友引

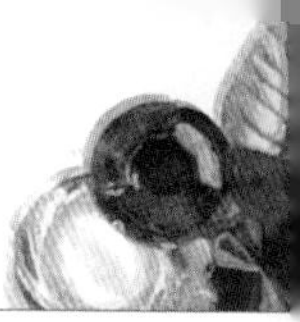

2 2022 February

SUN	MON	TUE	WED
		1 先勝	2 友引
6 赤口	7 先勝	8 友引	9 先負
13 先勝	14 友引	15 先負	16 仏滅
20 友引	21 先負	22 仏滅	23 大安 天皇誕生日
27 先負	28 仏滅		

少しずつ本格的に始まる今年。
その足音だけ聞いておく。

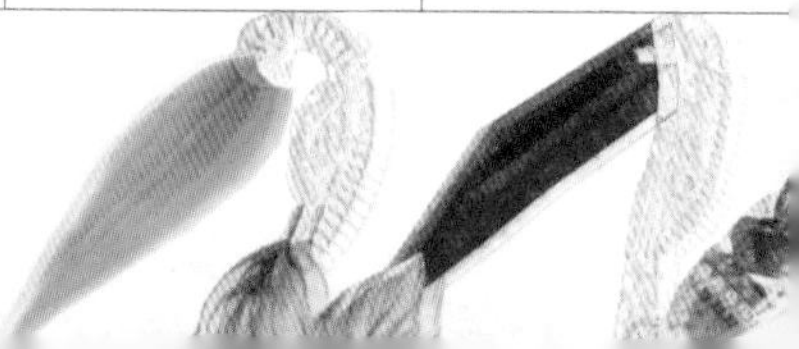

THU	FRI	SAT
3 先負	4 仏滅	5 大安
0 仏滅	11 大安 建国記念の日	12 赤口
7 大安	18 赤口	19 先勝
4 赤口	25 先勝	26 友引

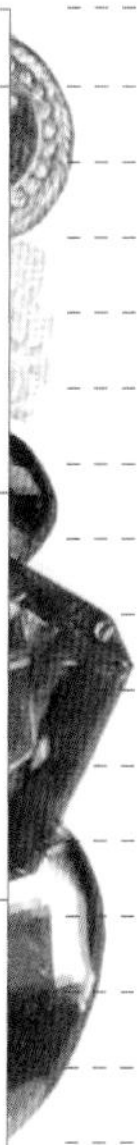

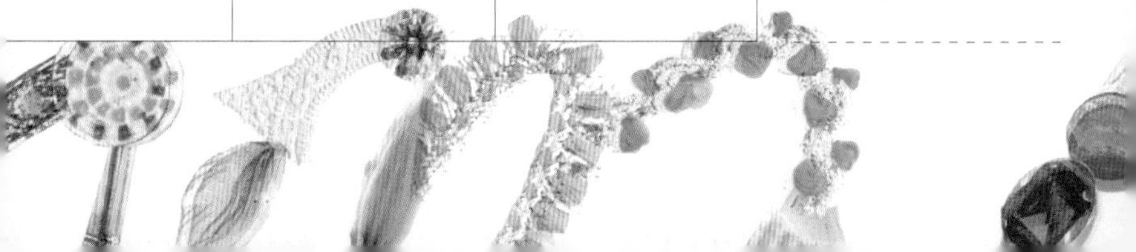

3 2022 March

そろそろ春だと思ってもいいかな？ 穴からそっと顔を出すように。

SUN	MON	TUE	WED
		1 大安	2 赤口
6 大安	7 赤口	8 先勝	9 友引
13 赤口	14 先勝	15 友引	16 先負
20 先勝	21 友引 春分の日	22 先負	23 仏滅
27 友引	28 先負	29 仏滅	30 大安

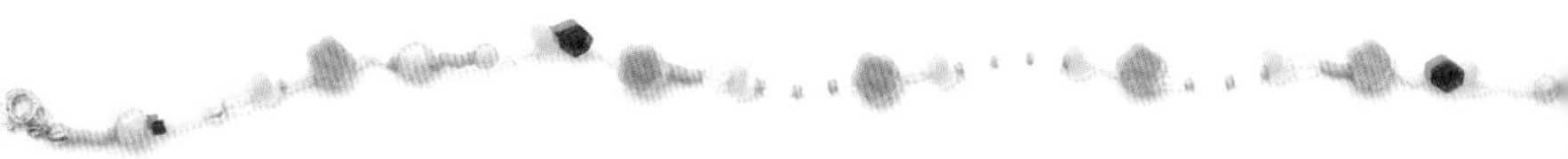

THU	FRI	SAT
友引	4 先負	5 仏滅
0 先負	11 仏滅	12 大安
7 仏滅	18 大安	19 赤口
24 大安	25 赤口	26 先勝
31 赤口		

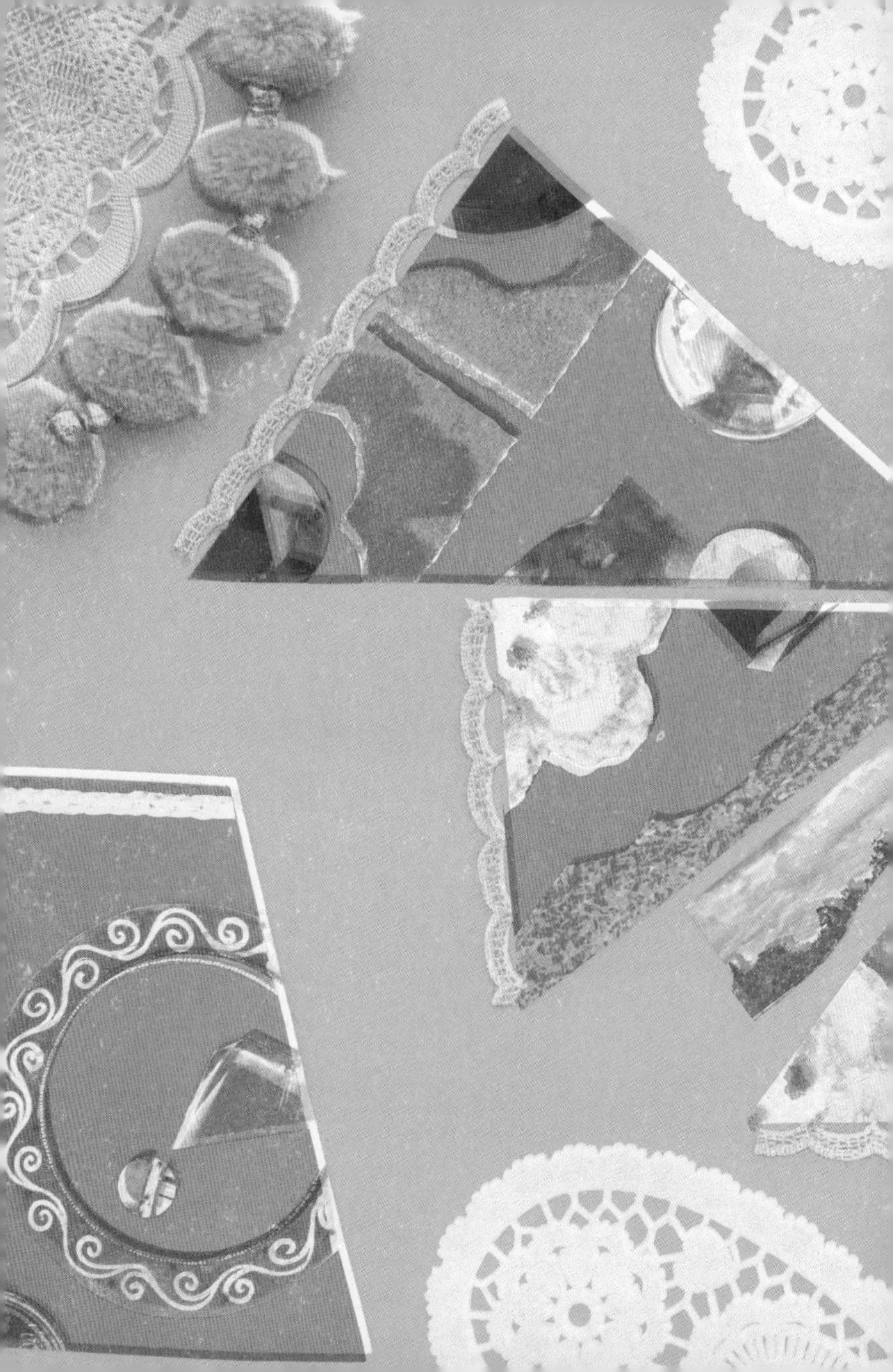

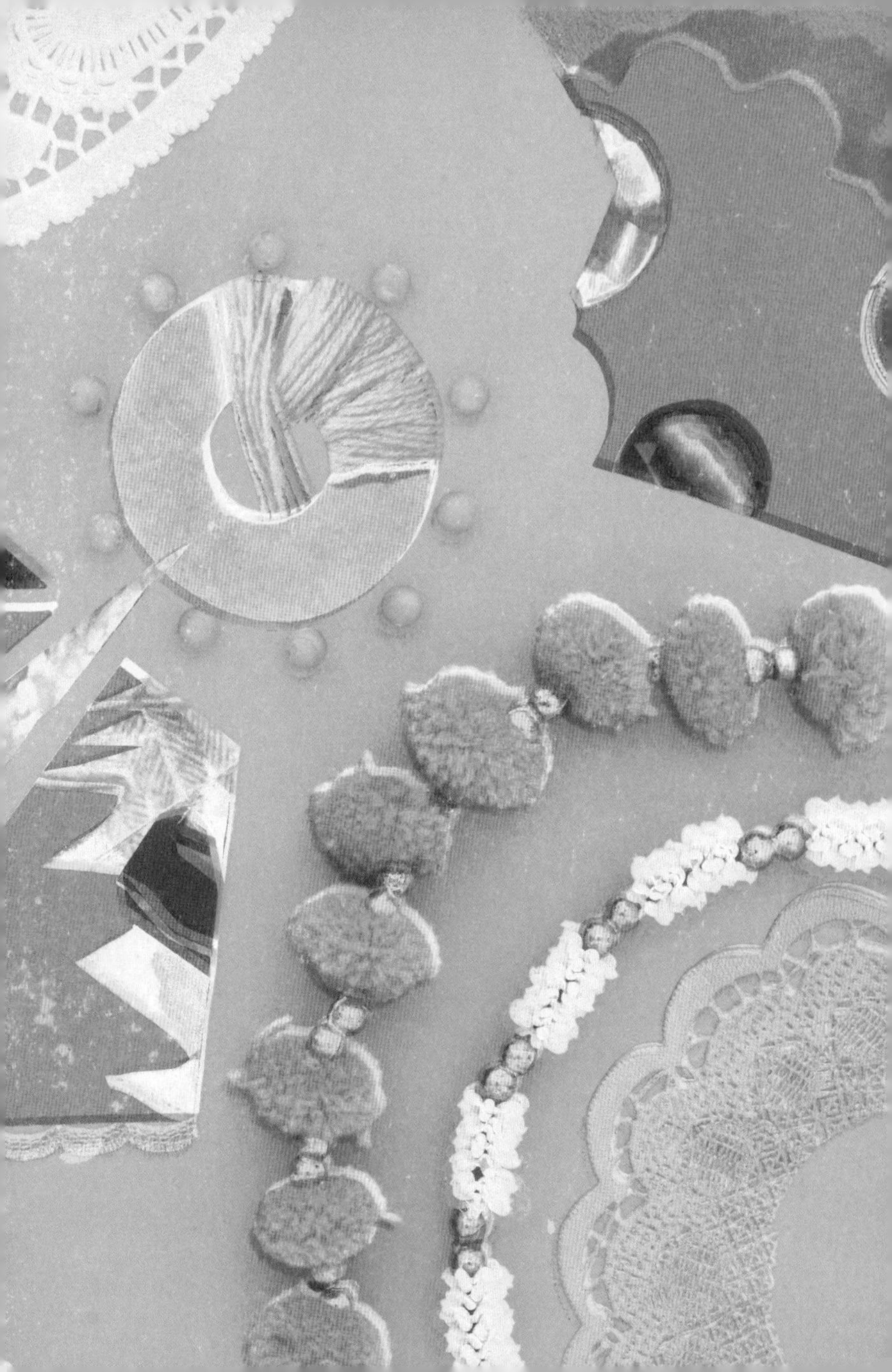

4 2022 April

SUN	MON	TUE	WED
3 大安	4 赤口	5 先勝	6 友引
10 赤口	11 先勝	12 友引	13 先負
17 先勝	18 友引	19 先負	20 仏滅
24 友引	25 先負	26 仏滅	27 大安

THU	FRI	SAT
	1 先負	2 仏滅
先負	8 仏滅	9 大安
4 仏滅	15 大安	16 赤口
1 大安	22 赤口	23 先勝
8 赤口	29 先勝 昭和の日	30 友引

桜だけじゃない。いろんな花が「見て」と言わんばかりに
順番に咲きはじめる。

5 2022 May

寝てばっかりの日。猛然と遊ぶ日。めりはりがあると季節についていきやすい。

SUN	MON	TUE	WED
1 仏滅	2 大安	3 赤口 憲法記念日	4 先勝 みどりの日
8 大安	9 赤口	10 先勝	11 友引
15 赤口	16 先勝	17 友引	18 先負
22 先勝	23 友引	24 先負	25 仏滅
29 友引	30 大安	31 赤口	

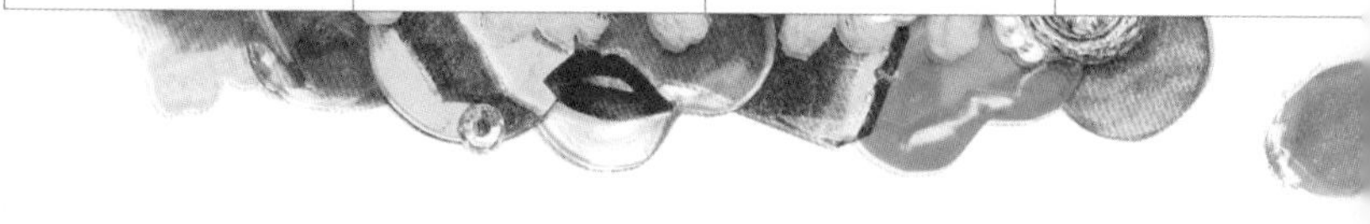

THU	FRI	SAT
友引 どもの日	6 先負	7 仏滅
2 先負	13 仏滅	14 大安
9 仏滅	20 大安	21 赤口
26 大安	27 赤口	28 先勝

6 2022 June

SUN	MON	TUE	WED
			1 先勝
5 大安	6 赤口	7 先勝	8 友引
12 赤口	13 先勝	14 友引	15 先負
19 先勝	20 友引	21 先負	22 仏滅
26 友引	27 先負	28 仏滅	29 赤口

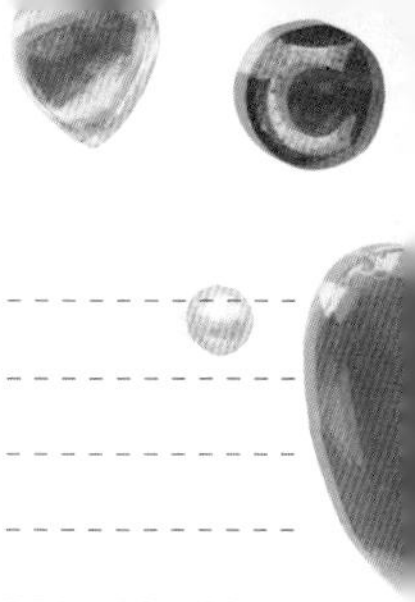

あじさいの場所を覚えて、散歩コースにする。
自分だけのあじさい地図ができる。それは天国まで持っていけるようだ。

THU	FRI	SAT
友引	3 先負	4 仏滅
先負	10 仏滅	11 大安
6 仏滅	17 大安	18 赤口
3 大安	24 赤口	25 先勝
0 先勝		

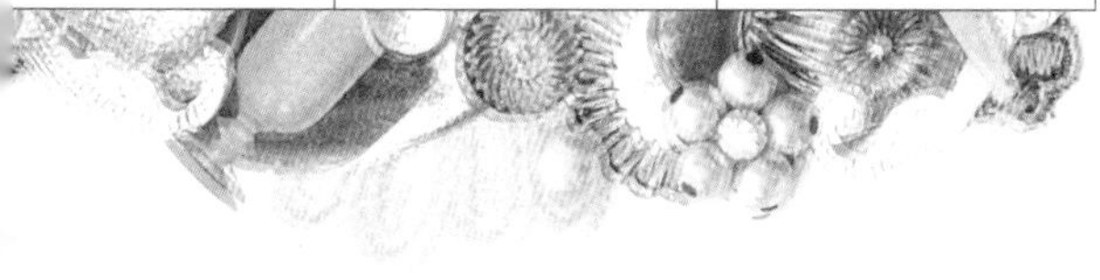

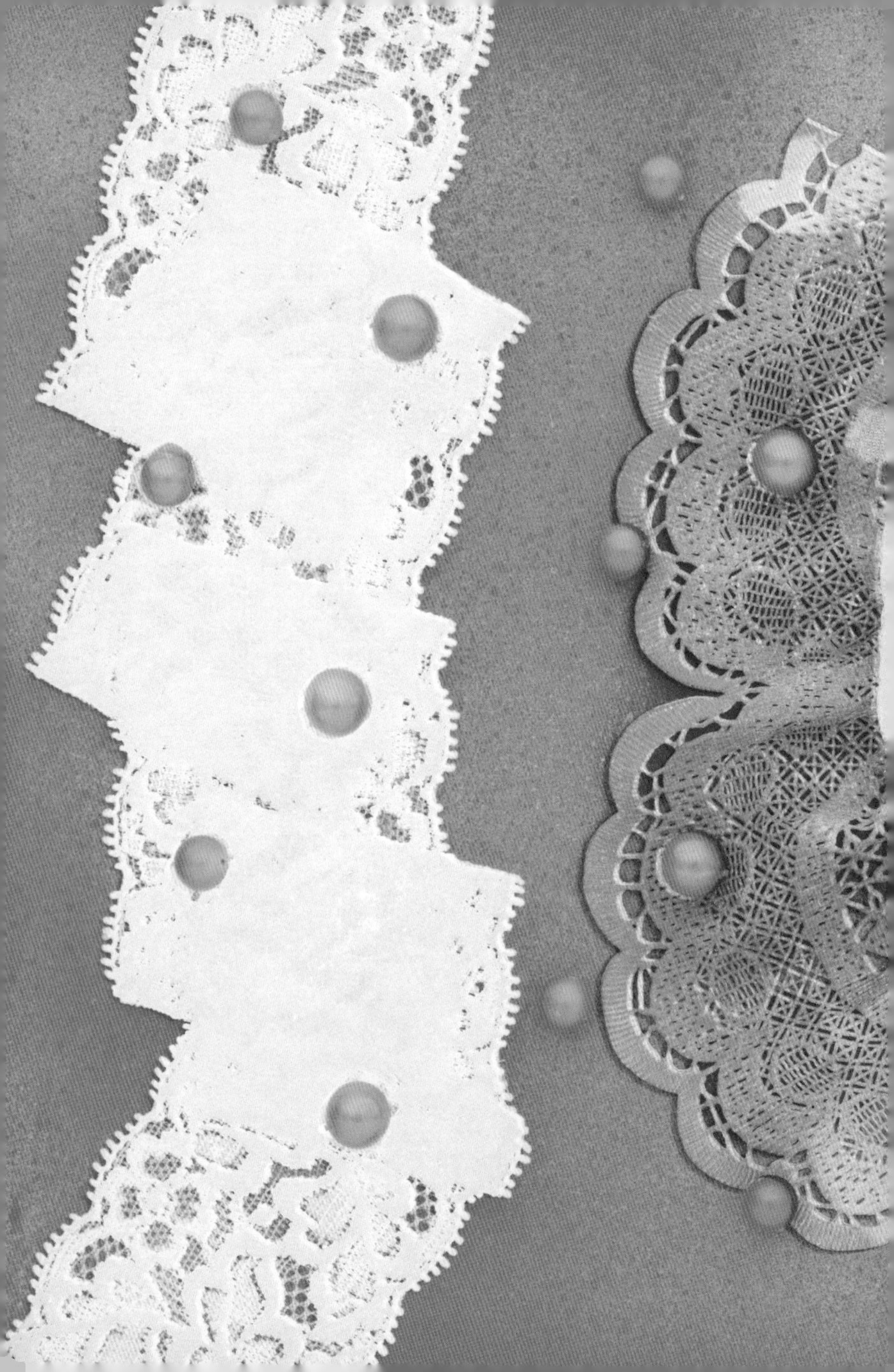

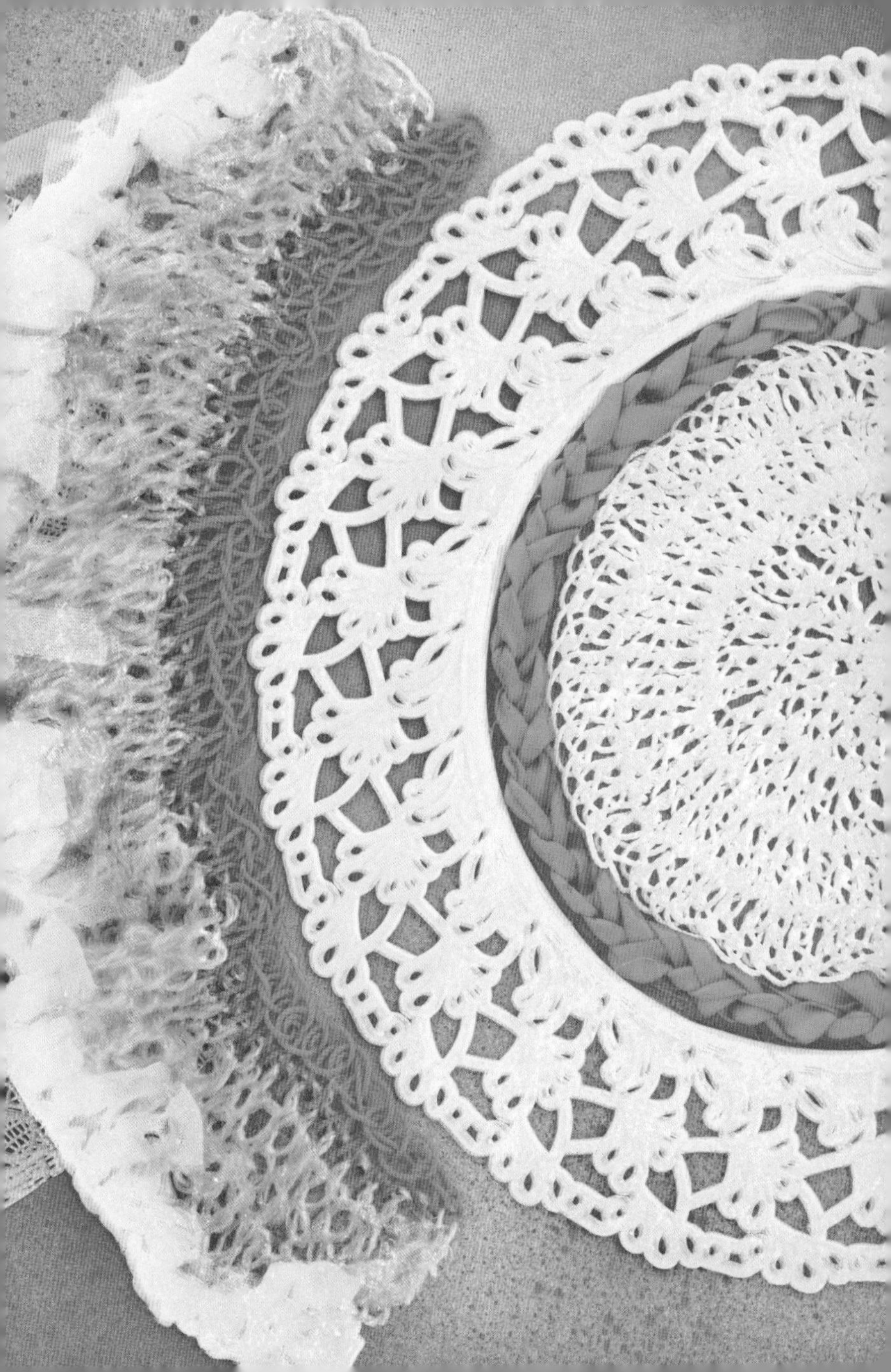

7 2022 July

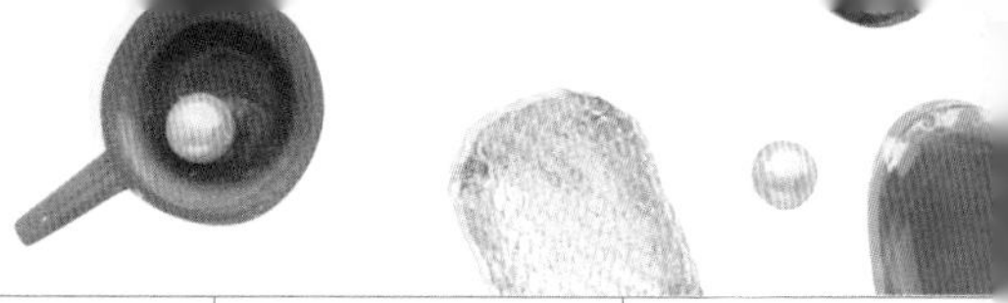

SUN	MON	TUE	WED
3 仏滅	4 大安	5 赤口	6 先勝
10 大安	11 赤口	12 先勝	13 友引
17 赤口	18 先勝 海の日	19 友引	20 先負
24 先勝 31 先負	25 友引	26 先負	27 仏滅

なるべく風が抜ける服を着て、日々の冒険に出発する。

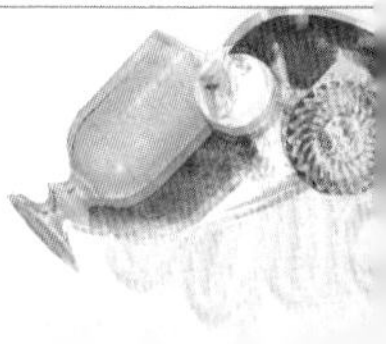

THU	FRI	SAT
	1 友引	2 先負
7 友引	8 先負	9 仏滅
14 先負	15 仏滅	16 大安
21 仏滅	22 大安	23 赤口
28 大安	29 先勝	30 友引

8 2022 August

秋がじわじわしのびこんでくるから、ダッシュで夏を追いかけ続ける。

SUN	MON	TUE	WED
	1 仏滅	2 大安	3 赤口
7 仏滅	8 大安	9 赤口	10 先勝
14 大安	15 赤口	16 先勝	17 友引
21 赤口	22 先勝	23 友引	24 先負
28 先負	29 仏滅	30 大安	31 赤口

THU	FRI	SAT
先勝	5 友引	6 先負
1 友引 の日	12 先負	13 仏滅
8 先負	19 仏滅	20 大安
5 仏滅	26 大安	27 友引

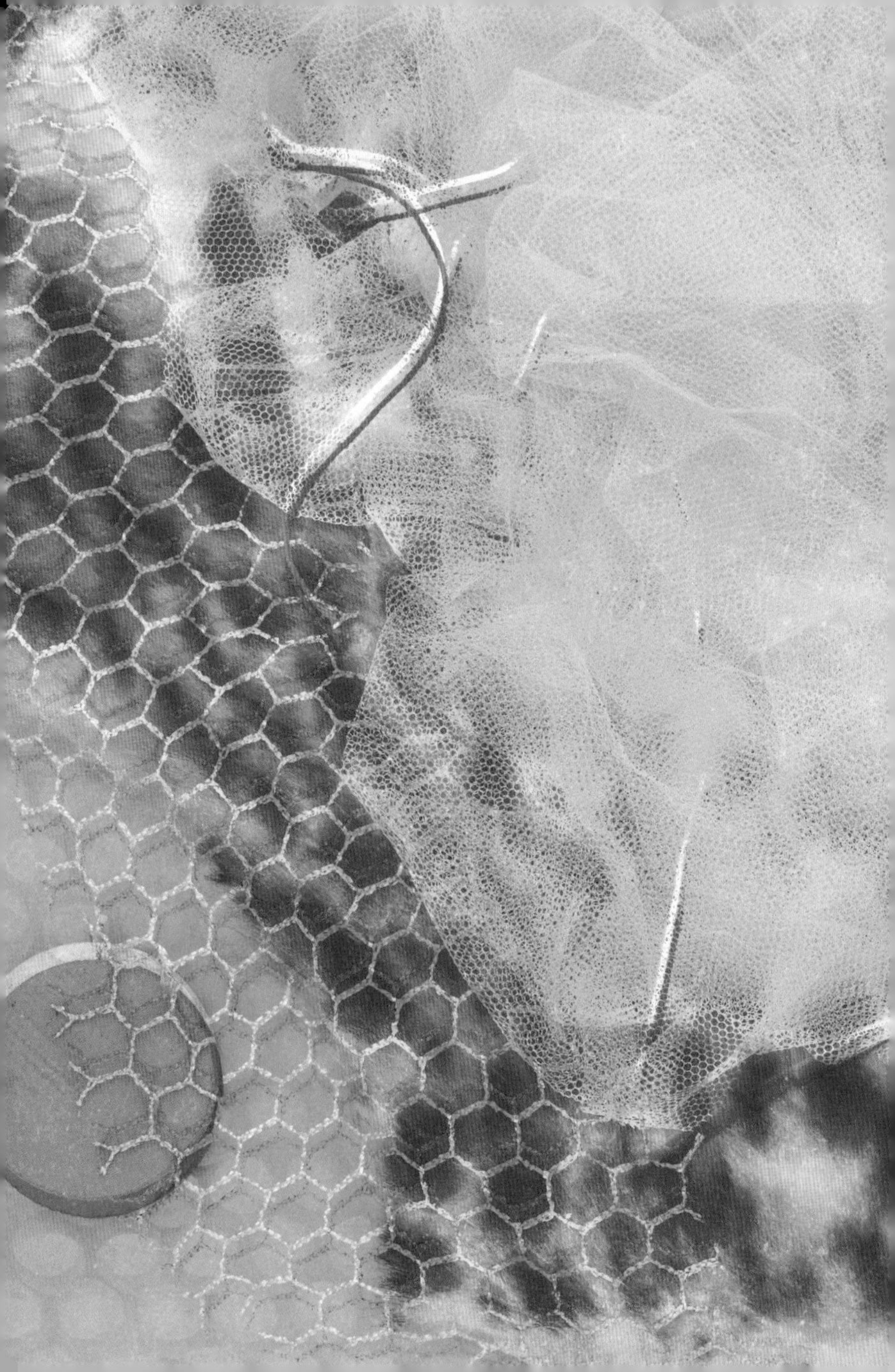

9 2022 September

SUN	MON	TUE	WED
4 仏滅	5 大安	6 赤口	7 先勝
11 大安	12 赤口	13 先勝	14 友引
18 赤口	19 先勝 敬老の日	20 友引	21 先負
25 先勝	26 先負	27 仏滅	28 大安

夏の後ろ姿を、高い空と雲の中に見つける。

THU	FRI	SAT
先勝	2 友引	3 先負
友引	9 先負	10 仏滅
5 先負	16 仏滅	17 大安
2 仏滅	23 大安 秋分の日	24 赤口
9 赤口	30 先勝	

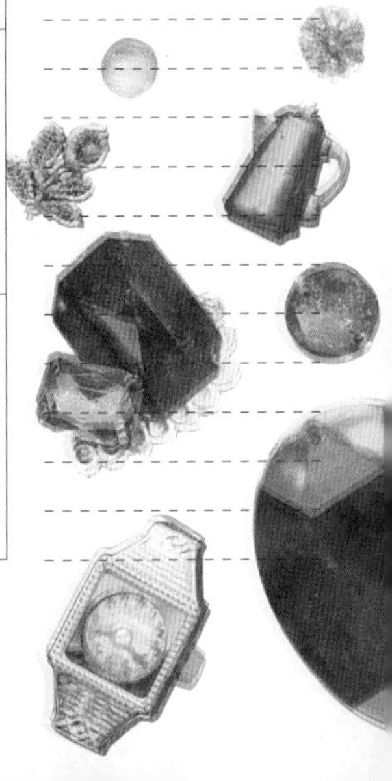

10 2022 October

SUN	MON	TUE	WED
2 先負	3 仏滅	4 大安	5 赤口
9 仏滅	10 大安 スポーツの日	11 赤口	12 先勝
16 大安	17 赤口	18 先勝	19 友引
23 赤口	24 先勝	25 仏滅	26 大安
30 先負	31 仏滅		

THU	FRI	SAT
		1 友引
先勝	7 友引	8 先負
3 友引	14 先負	15 仏滅
0 先負	21 仏滅	22 大安
7 赤口	28 先勝	29 友引

服も果物も空も。濃い色が知らせる秋の深まり。

11 2022 November

手袋やタイツを準備しながら、熱い汁ものをすする。
体もゆっくりと冬への準備を始めている。

SUN	MON	TUE	WED
		1 大安	2 赤口
6 仏滅	7 大安	8 赤口	9 先勝
13 大安	14 赤口	15 先勝	16 友引
20 赤口	21 先勝	22 友引	23 先負 勤労感謝の日
27 友引	28 先負	29 仏滅	30 大安

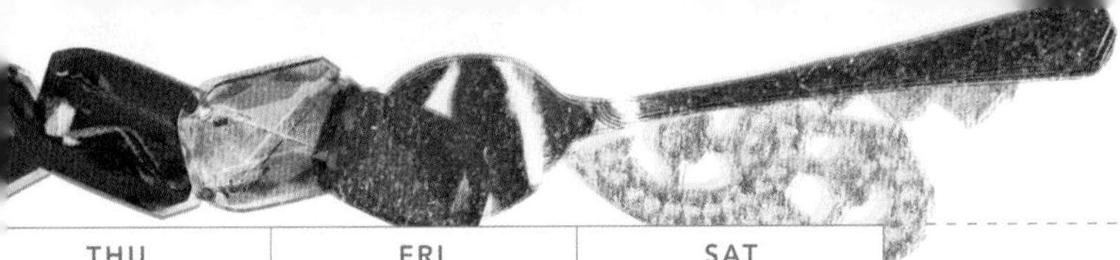

THU	FRI	SAT
3 先勝 化の日	4 友引	5 先負
10 友引	11 先負	12 仏滅
17 先負	18 仏滅	19 大安
24 大安	25 赤口	26 先勝

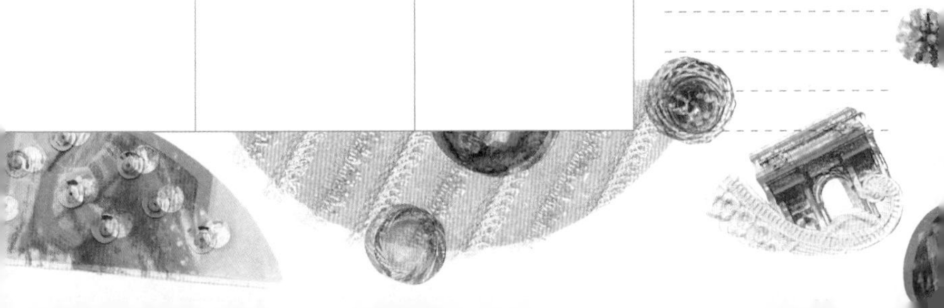

12 2022 December

SUN	MON	TUE	WED
4 先負	5 仏滅	6 大安	7 赤口
11 仏滅	12 大安	13 赤口	14 先勝
18 大安	19 赤口	20 先勝	21 友引
25 友引	26 先負	27 仏滅	28 大安

師走なんていうけれど、たまには予定を少なめにして。

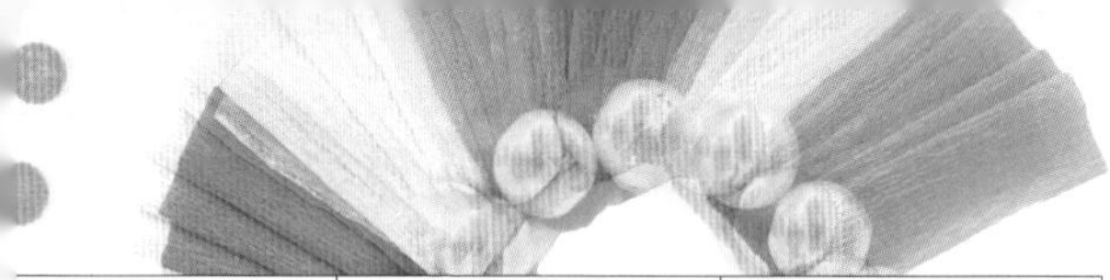

THU	FRI	SAT
赤口	2 先勝	3 友引
先勝	9 友引	10 先負
5 友引	16 先負	17 仏滅
2 先負	23 赤口	24 先勝
9 赤口	30 先勝	31 友引

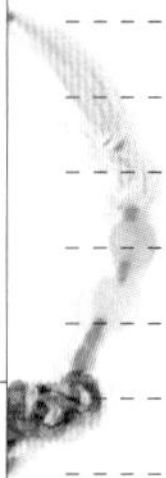

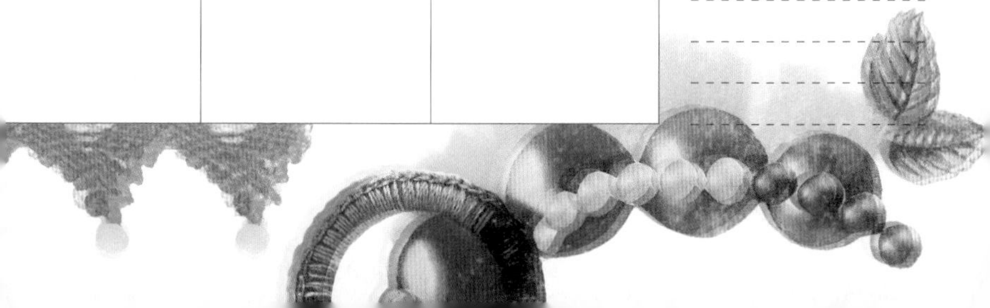

1 2023 January

SUN	MON	TUE	WED
1 先負 元日	2 仏滅 振替休日	3 大安	4 赤口
8 仏滅	9 大安 成人の日	10 赤口	11 先勝
15 大安	16 赤口	17 先勝	18 友引
22 先勝	23 友引	24 先負	25 仏滅
29 友引	30 先負	31 仏滅	

どんな年になるだろう。いやな予感がしたらお祈りで包む。
命があればいいい、と欲をごみ箱に捨てる。

THU	FRI	SAT
5 先勝	6 友引	7 先負
12 友引	13 先負	14 仏滅
19 先負	20 仏滅	21 大安
26 大安	27 赤口	28 先勝

福

2 2023 February

そろそろだなあ、なにが？
なにか新しいことが来るのは。

SUN	MON	TUE	WED
			1 大安
5 先負	6 仏滅	7 大安	8 赤口
12 仏滅	13 大安	14 赤口	15 先勝
19 大安	20 友引	21 先負	22 仏滅
26 友引	27 先負	28 仏滅	

THU	FRI	SAT
赤口	3 先勝	4 友引
先勝	10 友引	11 先負 建国記念の日
6 友引	17 先負	18 仏滅
3 大安 皇誕生日	24 赤口	25 先勝

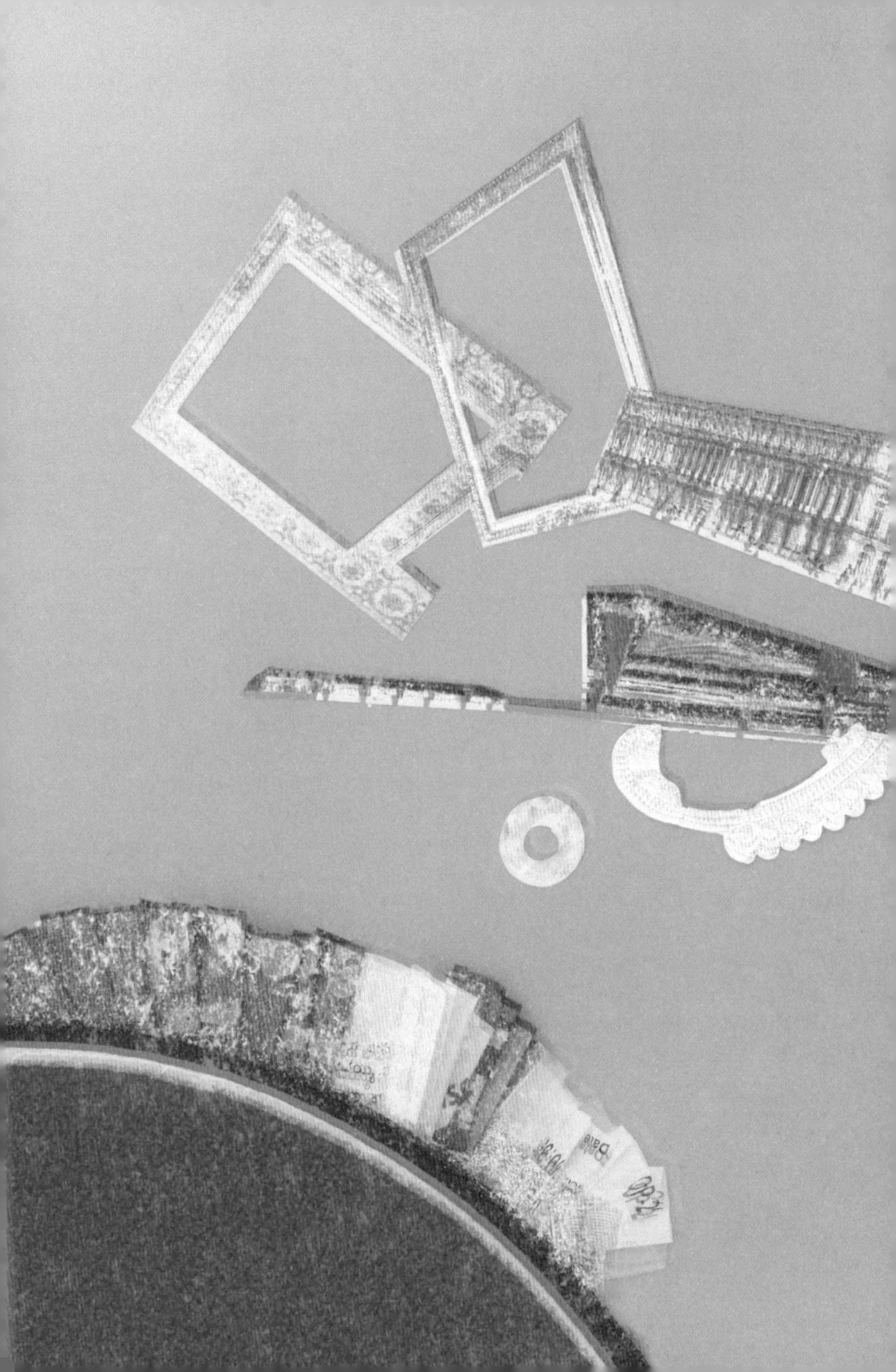

3 2023 March

SUN	MON	TUE	WED
			1 大安
5 先負	6 仏滅	7 大安	8 赤口
12 仏滅	13 大安	14 赤口	15 先勝
19 大安	20 赤口	21 先勝 春分の日	22 友引
26 赤口	27 先勝	28 友引	29 先負

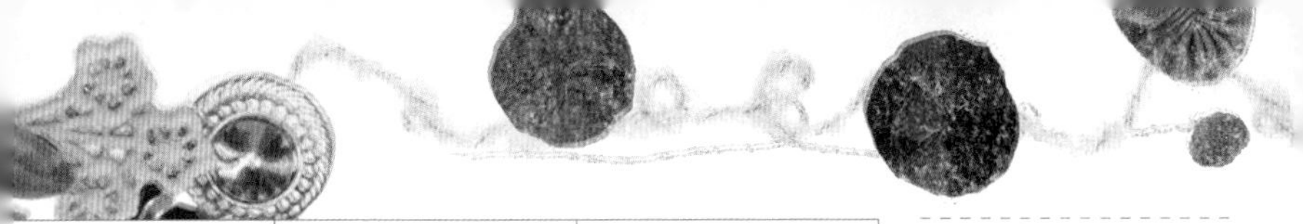

THU	FRI	SAT
2 赤口	3 先勝	4 友引
9 先勝	10 友引	11 先負
16 友引	17 先負	18 仏滅
23 先負	24 仏滅	25 大安
30 仏滅	31 大安	

どんなことが始まっても、陽気に生き抜く気持ちの芽生えを見る。

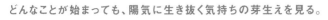

小さい子のうるさいくらいの笑い声にまみれてみる。
公園や、小学校のわきで。みんなわけのわからないことで笑っている。
やがて自分のほほにも笑顔が浮かんでくる。
浮かんでこなくって、ただうるさいと思ったりしたら、
それは自分が疲れているってことだから、多く寝るべき。
休みをとって、遠くの景色を見にいくべき。

眠くなって、

とことん眠くて、

目が開いていられないけど、

がんばっていろいろすませて、

倒れ込むときの無。

それこそが集中の本質。

体の中の水が
みんなきれいになるような食べものを食べる日、
血が全部濃く燃えたつようなものを食べる日。
どちらも必要だってことを
決して忘れちゃいけない。

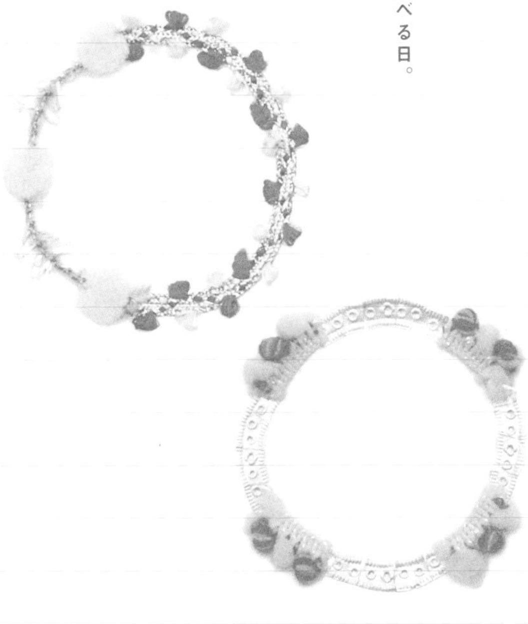

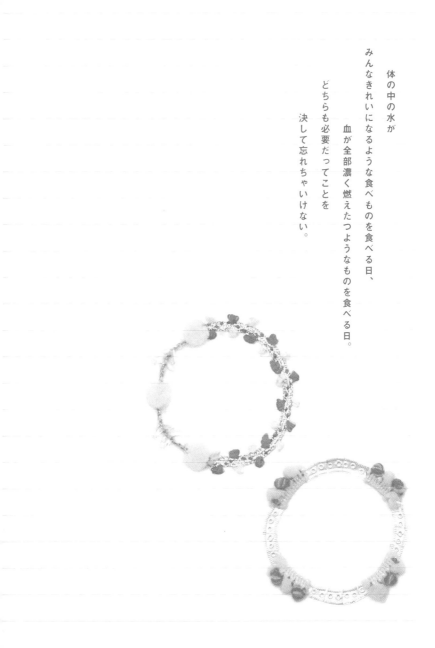

海に浮かぶ。

波が揺れる。自分も揺れる。

力を抜いているから。

波を見ている、
空を見ている。

次にすることは考えない。

ふやけたら水から出る。

それでいい。

体でも心でも、

落ち込みから回復するときには前の傷まで巻き込んだ

より明るい治癒の世界を見ることができる。

それを楽しみにしながら、でも楽しみにしすぎずに、待つともなく待つのは、

カップ麺を作るためのお湯が沸くのを待っているのと全く同じ。

ただ待ってれば夢が叶う。

別にがんばる必要はない。

いちばん大切な人を大目に見るみたいに、
自分を許しまくる。
いいよいいよ、間違うことはあるし。
寝不足だったんじゃない？
少し横になったら？　お茶でも飲む？
自分が自分にどれだけきつく厳しくあたっていたか、
よくわかる。

凍りそうな空気の中、

これまででいちばん悲しかった恋を思いだしてみる。

ないがしろにされた自分を思いだす。

冷たい風にまぎれて。

少なくとも今はそこにいないと、安心できる。

温かい飲みものを飲み、　今という時間に戻る。

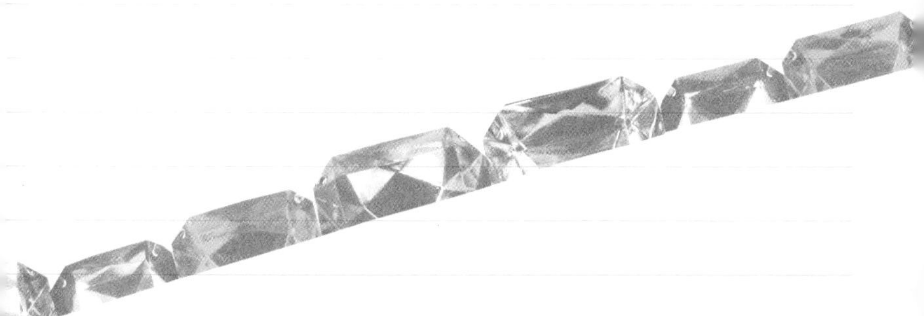

やりすぎると心も目も疲れる。もうちょっとやれるかもくらいのところで、

寝てしまうのがいい。

明日の自分のために。明日できることは今日しない。

でも、今しかないと思えるのなら、そんな気持ちを全部捨てて

その選ぶ自由、それがいちばん大切。

やりきるのもいい。

バカボンのパパみたいに、これでいいのだ、とつぶやく。
なまけものになりなさいって、
水木しげるさんもいつも書いていらした。

早起きすると空気が甘い。
夜更かしする

が濃くて月が美しい。

どちらにしても感じることがいちばん。

鼻をきかせて。

仕事は少し進んだし、映画も観たし。

ちょうどいい冷たさのビールだの、

ちょうどいい濃さのお茶も飲んだ。

これでいい。

ちゃんと明日に行ける。

春になるとき、
花の香りと共に　細　胞　が開いていく感じがする。
便乗して心も開き、
冬にため込んだほこりを
すっかり出してしまおう。
地球は
何ひとつ気にしないで
それを分解してくれる。

思い詰めて、

考えに考えて

ねじれながらたどりつく場所と、

ただ心を沈めて

待って待って開ける場所は

同じだったりする。

だからなるべく呼吸を止めずに、

ゆうゆうと歩こう。

今日できることを全部やる、明日死ぬかもしれないから、ってよく聞くけれど、そんな覚悟を空回りさせて生きるよりも、確実にこつこつやる方が魂は先に進める。

ほんとうに明日死ぬかもしれないと思ってまですることがあるときは、いつも無心で、そんなこと考えているひまがないときばかり。後になって「死ぬ覚悟だったな」と気づくもの。

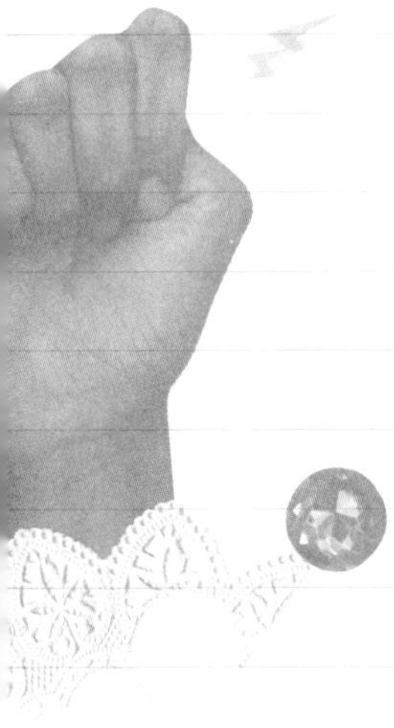

いい手。
そう言って、
たまには自分の手を
ほめてあげよう。
いろんなものを触ってきて、
いろんな仕事をしてきた、
たったひとつの手。
涙もたくさんぬぐったし、
いろんなものを愛でてきた。
この宝物があれば、
暗闇でさえ
探りながら歩けるだろう。

花を見つめる。固いつぼみ。そして数時間後にもまたじっと見つめる。

ほんの少し、ほどけてきてる。人が固いこぶしを開くときみたいに、

鳥が卵のからをやぶって出てくるときのように、内側からの力が感じら

またしばらくして見る。すると咲き始めてる。

こういうことに気づくことができる毎日を送りたい。

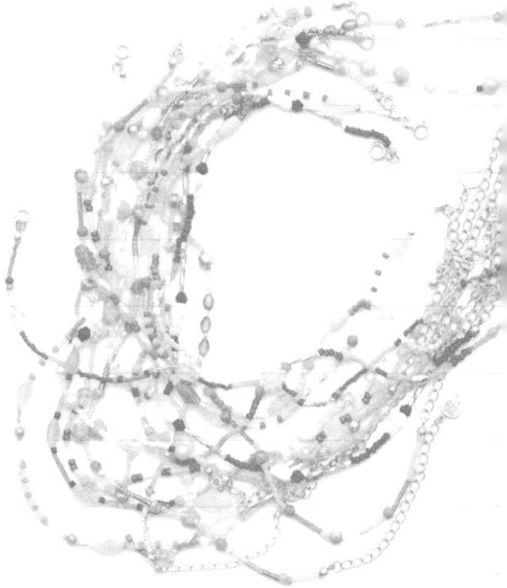

なんでどこかに行かなくちゃいけないの?

どうしてなにものかにならなくちゃいけないの?

いいじゃない、今のままで。

鼻をほじりながらごろ寝してたって。そんなに違わない。

人の魅力ってそんなに薄っぺらいものじゃない。

人ひとりの人生ってそんなに軽いものじゃない。

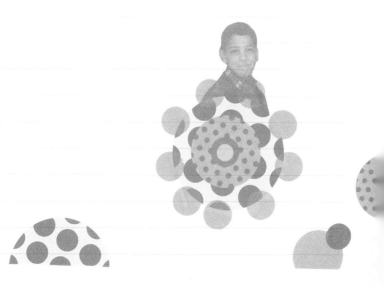

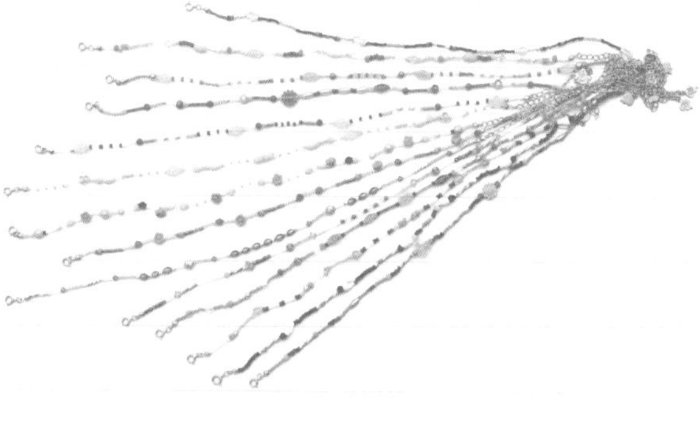

味噌汁を放っておくと、いたむ。

捨てる。変な匂い。

もったいないなと思う。次は気をつけようと思う。

でもインスタントにしたり、

作らないという方向には行かない、そのさじ加減。

加熱しない肉は食べない。

でも、魚に虫がついていたらぞっとして、

お刺身は店で食べようと思う。そのさじ加減。

自分で決めていい、甘やかしていい。

前の日に準備すると、

翌日が楽になるってわかってる。

でも、服や靴は、

空の色や気温を感じてから選びたい。

服も靴も喜んで、

優しく1日を包んでくれる。

人の1泊2日の荷物を見ると、とてもいい感じがする。

おままごとみたいで。

その人の夢が香ってくる。

なにをだいじにしているのか、よくわかる。

毎日の中のかわいさが見える。

犬や猫の頭をいくらでも撫でていられるように、自分のひざこぞうを撫でてみる。

だんだんかわいくなってくるあたりが、とってもわかりやすい。

自分を愛するとか、そのままを受け入れるとか、そんな大げさな何かじゃなくって。

ただただ、かわいい石ころを撫でるみたいに、無心でひざこぞうを撫でまわす。

今日の気分はほうじ茶だな、と思う。
そして飲む。

それが夢の実現。
それ以上でも以下でもない。
もしものすごくコーヒーを勧められたら、
後から家で飲めばいい。

もしほうじ茶の害を訴えてくる人がいたら、
ありがとう　と言えばいい。
そしてそういう人があまりに多かったら、変なことになっちゃ

るな、とただ思うだけで、

自分を責めたりしないで、

自分の人生を見直して整理する。

それでいい。

自然の中にいるっていうことがわかる。

大都会にいても

薄い色の夜空に星はちゃんと見える。

それと同じように。

トイレに流れる水も、
蛇口から出てくる水も、
私たちが作ったのではない。
いろんな加工がなされて
まるで自分たちが作ったかのような錯覚をしているけれど、
全て地球に使わせてもらっているもの。
そう思うと自分がいつだって

郵 便 は が き

お手数ですが、
切手を
おはりください。

1 5 1 0 0 5 1

東京都渋谷区千駄ヶ谷 4 - 9 - 7

(株) 幻 冬 舎

書籍編集部宛

ご住所 〒

都・道
府・県

フリガナ
お名前

メール

インターネットでも回答を受け付けております
https://www.gentosha.co.jp/e/

裏面のご感想を広告等、書籍の PR に使わせていただく場合がございます。

幻冬舎より、著者に関する新しいお知らせ・小社および関連会社、広告主からのご案内を送付することがあります。不要の場合は右の欄にレ印をご記入ください。

不要 □

本書をお買い上げいただき、誠にありがとうございました。
質問にお答えいただけたら幸いです。

◎ご購入いただいた本のタイトルをご記入ください。

『　　　　　　　　　　　　　　　　　　　　　　　　　　　　』

★著者へのメッセージ、または本書のご感想をお書きください。

●本書をお求めになった動機は？

①著者が好きだから　②タイトルにひかれて　③テーマにひかれて
④カバーにひかれて　⑤帯のコピーにひかれて　⑥新聞で見て
⑦インターネットで知って　⑧売れてるから／話題だから
⑨役に立ちそうだから

生年月日　西暦　　年　　月　　日（　　歳）男・女				
ご職業	①学生	②教員・研究職	③公務員	④農林漁業
	⑤専門・技術職	⑥自由業	⑦自営業	⑧会社役員
	⑨会社員	⑩専業主夫・主婦	⑪パート・アルバイト	
	⑫無職	⑬その他（　　　　　　　　）		

ご記入いただきました個人情報については、許可なく他の目的で使用することはありません。ご協力ありがとうございました。

いつか見た青空も今見上げる青空も変わっていないのに、

自分だけがこの地上にいられる時間が減っている。

そんなことあるだろうか？と思う。

自分もいつかあそこに溶けていくから、

こっちとあっちの時間は

きっとそんなに変わらない分量なんじゃないかな。

そう思うと、

じわっと甘みがしみてくる。

人生の甘みを、よく味わって。

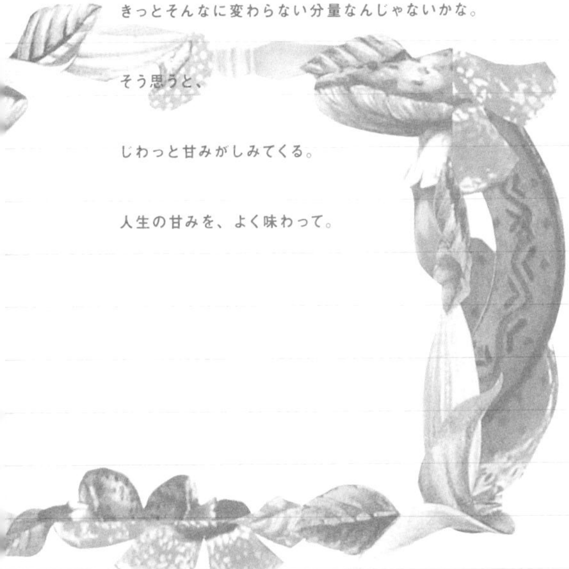

小さい子の寝顔はいくらでも見ていられる。
夢の中で遊んでいるのがわかるから。

起きたときにいい場所にいられるように、
自分も気持ちを整えたくなる。

いつか自分もきっとこんな顔で寝ていたんだと思うと、
人生が愛おしくなる。

時間がなくて
お気に入りの自分になる前に出かけなくてはいけないときは、
道端の花を見て気持ちを調整する。
心がほどけていく。
きちんと準備した自分でなくても、
それは、その大切なものはここにある、とわかる。

DEMNATE

人のことは考えなくていい。

だれかがどこかで何かしていたら、楽しそう、いいね。

悲しそう、元気出して。それだけでいい。

その分自分のことを熱心に考えてあげたらいい。

熱心に考えて、忘れて、甘やかして。

そうしたらちゃんと立ち上がってくるのも自分だけだし。

自分をうまく育てられないから、

人は人にばっかり興味を持ってしまう。

日光に当たると背中がぽかぽかして、どんなマッサージより効く。
まるで

れそうな植物を外に出すといつのまにか
復活して葉を出しているときみたいに。

自分を待って待ち合わせ場所に立っている
友だちを見つけると、胸がいっぱいになる。
知らないその人を見るようで。
でもその人の心は確実に自分に向いていて。

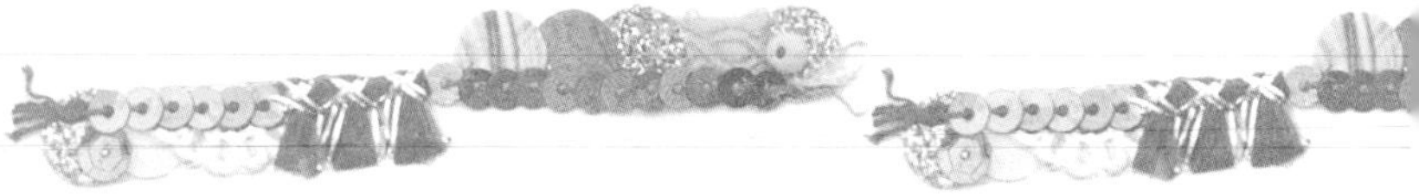

服をてきとうにたたむことも、手で青菜を和えることも、みんな遊び。

泥団子の頃から、お気に入りのハンカチをポケットにしのばせる冒険の頃から、
変わっていない。

また来週ね。
そう言って別れようとも、もしかしたらもう二度と
会えないかもしれないから。
目の前にいる人にちゃんと笑顔を見せたい。
ひんぱんにスマホを見ようとも、顔をあげたときに
本気の笑顔なら全然いい。

自由な自分が、自由なだれかに向き合うとき。

ふたつの自由は勝手に遊び始める。

大好きな毛布をすりすりしていると、

小さかった頃にすぐ戻れる。

そのときの自分はどんなふうに世界を見ていたか。

もっとものの感触といっしょに生きてたな、と気づく。

たくさん食べてぱんぱんになることが、
自分を甘やかすことじゃない。
身体が、もういいよと言うまで味わってのんびり食べること。
ひとくちひとくちを楽しむこと。

夏の夕方に、いろいろなことを今にも思い出しそうになる。

細かく思い出す

だから思い出そうとしないで、

袖なしの、サンダルの自分で。

いてしまうようなこと。

　　　空を見る。茜色の。

インゲン豆や、枝豆や、とうもろこしを、
色も固さも味も完璧になるように茹でてみる。
完璧にできていたら、
晩ごはんはそれだけでいいくらいに
気持ちも腹も充実する。

緊張する人になんて、会わなくていい。

緊張は違うというサインだから。

でももし会ってしまったら、悔いなく過ごしたい。

悔いなく過ごしたら、次回は緊張しなくなって、

その人は緊張する人にカウントされなくなるかもしれない。

大事な本を２冊買って、１冊は枕元に、１冊は大切に本棚に。
贅沢だけれど、とっても必要なこと。

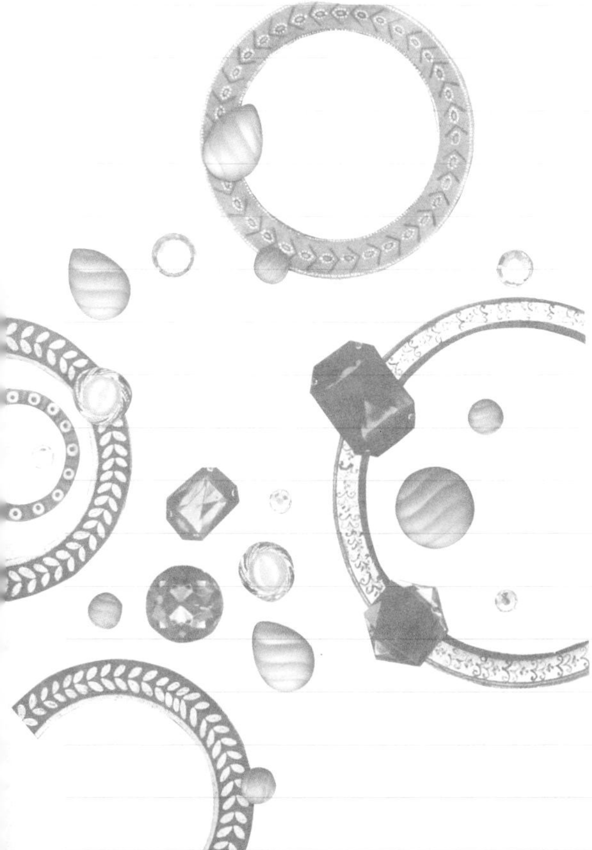

誰かがこの世からいなくなったときに、
お祈り以外の気持ちを何ひとつ持てない自分でありたいと、
ただそれだけでいいではないかと、思えるといい。

きっちり髪の毛を整え、

体を締めつける服を着て、きつい靴を履いて1日を過ごす人には、

それを全部脱ぎ去る至福の瞬間がある。

1日じゅう家にいてパジャマ同然のかっこうをしている人にはその快感はわからない。

この世の中はなにもかもがそんなふうにちゃんとバランスされているので、

無条件に信じていい。

おまじないや、お守りや、お参りや。

それも大切だけれど、光と風と水は、無料だ、そして無敵だ。

どんな魔も祓う。

甘いものを食べたくて探していたら、
おせんべいを見つけて、
食べたら満足してしまう、
そのくらいのゆるいハンドル感で生きられたら
少し楽になる。

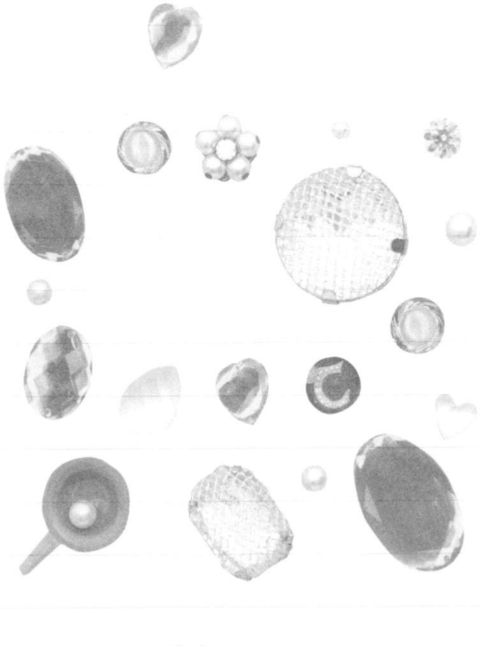

懐かしい街を訪問し、

変わらないものを見つける。

その写真を撮り、

しばらくの間、

待ち受け画面にする。

まだそこにあったなら、

懐かしいスーパーで、

何かしら食べものか飲みものを買う。

1週間後の同じ日に、

おごそかにいただく。

人生の良さを味わいながら。

ぼさぼさの髪のまま、近所のコンビニに行って、
好きなアイスを買う。
誰もそんなに自分のことを見てないんだな、と思うと、
逆におしゃれがしたくなるものだ。
そうしておしゃれ心を呼び覚ます。

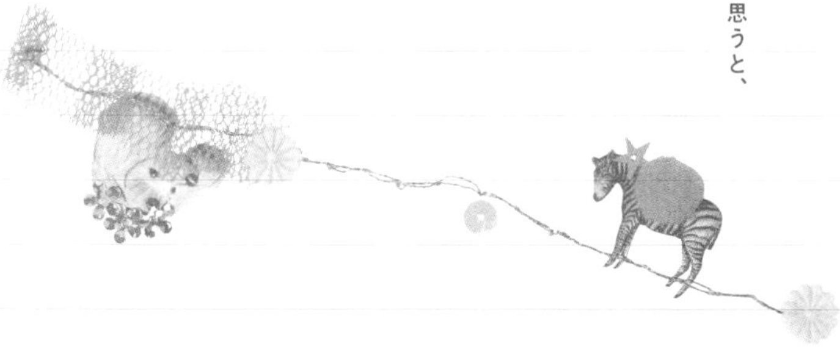

起きてすぐ、
「しなきゃいけないこと」を考えるのを
今日からやめる。

したいことから始める。

窓を開けてしばらく空を見るとか、

そのとき飲みたいものを飲むとか。
小さいことでいい。

突然
「しなきゃいけないこと」が
軽々できるようになる。

好きな花を1本持って、

自分にとって悲しいことがあった場所に行く。

目立たないところにそっと置いてくる。

少しだけ悲しみが癒えていることをちゃんと確かめる。

陽が当たった温かい砂か、土か、タイルの上に裸足の足を置いてみる。
信じられないくらい深く、じわりと癒される。

いくつのときのでもいいから、

自分がいちばん好きな写り方をしている写真を見つけて、

しばらく壁に貼っておく。

自分の魂と出会いなおす裏技。

たこ焼きかパンケーキを

丸くきれいに作ることに集中すると、

うまくいったときに

ものすごい満足感が残る。

それをだれかと分かち合うと、

効くおまじないくらい

大きな実りがある。

自分に優しく
仕事を頼んでくれた人の、

声の響きを
耳によみがえらせる。

完成した仕事を見て、
流れというものの

美しさを味わう。

好きな音楽をかけて、

ただただ踊り狂って、汗をかいて、

水を飲んで、うっとり空を見る。

内側から力が湧いてきている。

世界が自分に対して開いてるのを感じる。

持っているスーツを全部出して、

陽に干す。

その間に靴も磨く。

着るのが楽しみになるし、

服や靴も生きかえる。

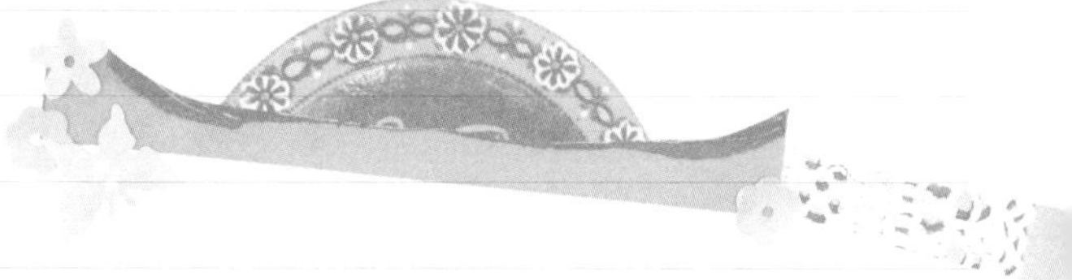

好きな果物をきんきんに冷やして、
全裸で思い切り汁を垂らして食べると、うんと甘い。

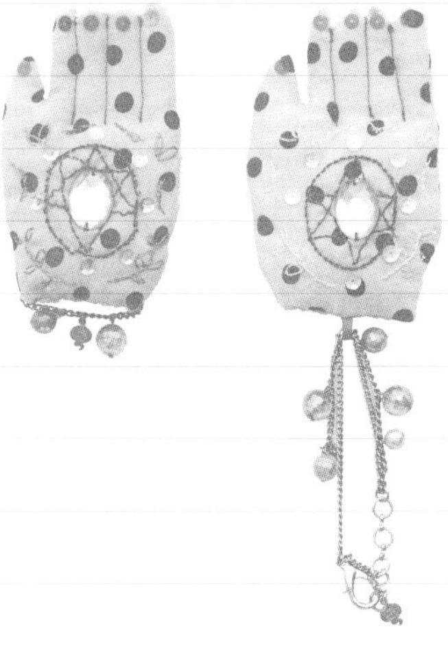

よーく手を洗って、きれいなタオルでよく拭いて、
友だちと短い時間、温かい握手をする。互いの手がふわっと喜ぶ。

遠くの雲よりもっと遠くを見ようとすると、

目の奥に何か美しい光が映る。

だから、もっともっと遠くを見ようとする。

うつぶせに寝て、

あおむけに寝て。

いいポジションを見つけて、
眠りに入っていく。

よく見つけた、
と自分をほめながら。

赤ちゃんのときにはきっと

このくらいのことで
すごくほめられたのだろうから。

あの場所に旅をしたって、何も変わらない。
駅はああで、街はこうで、こういう雰囲気で。
たとえそんなふうに思っても、行ってしまうと全く違う。
丸ごと自分がその風景に入ったときだけ、
世界は生き生き動きだす。

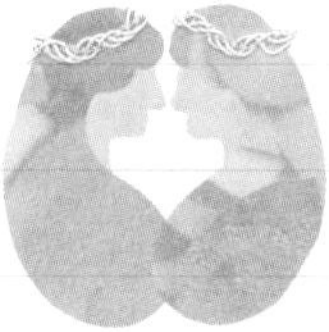

見上げたら、空が大きくて

向こうのほうまで光でいっぱい

こまでも続いていて、

んとなく受け入れられている感じがした。

いつまでいられるのか、この地上に。

こんなにも赦されて。

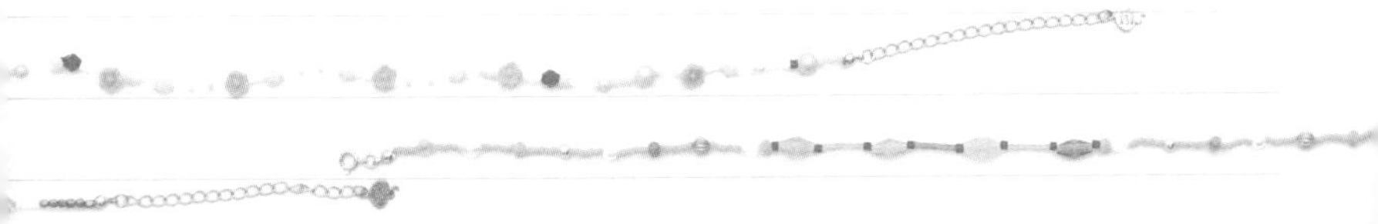

倒れそうなくらい、ふらふらになるくらいお腹を空かせてから、何か好きなものを一気に食べる。

その日は1日1食でいい。自分の味覚や本能ともう一度仲良くなれる小技。

人間が、ひとりひとり好きなように暮らせたら、
戦争はなくなる。
でも、そうはいかない。
ひとりひとりが好きに暮らしながら、
人と関わったり助け合うのは
かなりむつかしいことだから。
でも、たぶん、人類はそちらのほうへゆっくりと進んでいく。
大きな船が舵を切って波をわけていくように、
ゆっくりと。
せめて自分のまわりだけでも、
なるべく平和に、平和をいちばんに。

ゆめゆめ忘れないように。

いやいややったことは、

誰のことも救わない。

いやいやのなかにもし楽しさがあれば、

大勢を救える。

いやいや作ったごはんはまずい。

いやいやだけど、あの人が、

この人がお腹を空かせている顔を見たくないな、

と思ったら、それはいやいやではない。

そのさじ加減を見てあげられるのは、

自分にとっては自分だけ。

甘やかしてあげて損はない。

甘やかすほどに、

できることが増えていく、宇宙の不思議。

生きているかぎり、

その不思議と出会い続ける。

何度でも。

文字の魔法

吉本ばなな

一見優しくていねいでもどす黒い言葉。

重箱の隅をつついてまで比べてまた比べて蟻のはいでる隙間もない、息苦しい言葉。

勢いが空回りして、地に足がついてない言葉。

そういうものがこれほどまでに世にあふれている、カオスな時代を生きる。

そういうものさえ存在する自由、もがく自由、意地悪でいる自由さえある、この広い世界で、今日は今日しかなく、人生に限りはあり、肉体という乗り物は最後までメンテナンスが必要で、私たちを包む宇宙の法則は絶対で、それを尊敬、尊重、ここにいられることに感謝して生きるしか人類に選択肢はない。

その中で精いっぱい永遠を夢見るには、全方位にスイートでいるしかない。

これを手にしたみなさんに、氷砂糖のひとかけらみたいに、人生の自由の甘みが届きますように。

吉本ばなな
1964年東京都生まれ。日本大学藝術学部文芸学科卒業。
87年『キッチン』で第6回海燕新人文学賞を受賞しデビュー。
89年『キッチン』『うたかた／サンクチュアリ』で第39回芸術選奨文部大臣新人賞、
同年『TUGUMI』で第2回山本周五郎賞、95年『アムリタ』で第5回紫式部文学賞、
2000年『不倫と南米』で第10回ドゥマゴ文学賞を受賞。
著作は30か国以上で翻訳出版されており、海外での受賞も多数。
noteにて配信中のメルマガ「どくだみちゃん と ふしばな」をまとめた文庫本も発売中。

カバー・本文アートディレクション　中島英樹
デザインアシスタント　田中幸洋（中島デザイン）
カバー・本文コラージュ　桜井由佳（wool, cube, wool!）
コラージュ撮影　嶋本麻利沙

本作は書き下ろしです。
祝日法などの改正により、祝日・休日が一部変更になることがあります。

BANANA DIARY 2022　2023　甘やかし
2021年12月10日　第1刷発行

著　者　吉本ばなな
発行人　見城 徹
編集人　石原正康
編集者　壷井 円

発行所　株式会社 幻冬舎
〒151-0051 東京都渋谷区千駄ヶ谷 4-9-7
電　話　03(5411)6211（編集）
03(5411)6222（営業）
振替 00120-8-767643
印刷・製本所　株式会社 光邦

検印廃止

ISBN978-4-344-03888-2　C0095
幻冬舎ホームページアドレス　https://www.gentosha.co.jp/

この本に関するご意見・ご感想をメールでお寄せいただく場合は、
comment@gentosha.co.jpまで。